Hanna Grubhofer
Sigrun Eder
Barbara Weingartshofer

WAS BRAUCHST DU JETZT?

Mit der Giraffensprache und Gewaltfreier Kommunikation Selbstfürsorge kindgerecht vermitteln

Bibliografische Information der Deutschen Nationalbibliothek
Die Deutsche Nationalbibliothek verzeichnet diese Publikation in der Deutschen Nationalbibliografie; detaillierte bibliografische Daten sind im Internet über http://dnb.d-nb.de abrufbar.

1. Auflage März 2022

Verlagsanschrift Adolf-Bekk-Straße 13, 5020 Salzburg, Österreich
Internet www.editionriedenburg.at
E-Mail verlag@editionriedenburg.at

Lektorat Dr. Heike Wolter, Regensburg
Satz und Layout edition riedenburg
Herstellung Books on Demand GmbH

ISBN 978-3-99082-099-5

Hallo du!

Ich bin Gino Giraffe. Vielleicht kennst du mich schon aus meinem ersten Buch. Dann weißt du bereits, dass ich den Tieren gut zuhören kann. Aber nicht nur das! Wir Giraffen sind die Tiere mit dem allergrößten Herzen. Daher spüren wir besonders gut, wie es anderen geht und was sie brauchen könnten.

Wie ist es bei dir? Du spürst bestimmt auch, wie es dir gerade geht und was dir gut tut. Das ist besonders wichtig in Situationen, die anders sind, als du sie dir wünschst. Situationen, in denen du unglücklich, genervt, unsicher, traurig, mürrisch, überfordert, erschöpft, alleine, angespannt oder überdreht bist.

Auf den nächsten Seiten triffst du Emil Erdmännchen, Carla Chamäleon, Mia Maus, Balduin Bär, Hansi Hahn und viele weitere Tiere und erfährst, was für sie im Moment etwas schwierig ist. Gemeinsam kommen wir auf Ideen, was jedes einzelne Tier selbst machen kann, um sich besser zu fühlen.

Die Mit-Mach-Seiten sind nur für dich. Sie zeigen dir, wie du herausfordernde Situationen selbstbestimmt, einfallsreich und erfolgreich meistern kannst. Außerdem findest du viel Platz, um aufzuschreiben und aufzuzeichnen, wie du deine Bedürfnisse nach Gesellschaft, Geborgenheit, Sicherheit und Ordnung verwirklichen kannst. Besonders in Zeiten, in denen alles anders ist als gewohnt.

Was brauchst du jetzt? Finde es gemeinsam mit mir und den Tieren heraus. Fang am besten gleich an zu lesen. Wir sehen uns!

Dein Gino Giraffe

Emil Erdmännchen hat seine Freunde zu sich nach Hause eingeladen. Doch nun sind seine Geschwister und seine Eltern krank und er musste seinen Freunden absagen.

Alleine sitzt er vor seiner Höhle und weiß nicht, was er machen soll.

Gino Giraffe kommt zu Emil Erdmännchen und sagt: „Du siehst ganz unglücklich aus. Was ist passiert?“

„Ich möchte mit meinen Freunden bei uns zu Hause spielen, aber keiner darf uns heute besuchen“, erklärt Emil Erdmännchen.

Gino Giraffe nickt: „Oh, ich verstehe! Du möchtest in Gesellschaft sein.“

„Ja genau“, meint Emil Erdmännchen.

„Was kannst du jetzt tun, damit es dir besser geht?“, will Gino Giraffe wissen.

„Ich sage meinen Freunden, dass sie heimlich zu mir kommen sollen!“, flüstert Emil Erdmännchen.

„Mhm, und welche Idee hast du noch?“, fragt Gino Giraffe.

Emil Erdmännchen überlegt kurz und ruft fröhlich: „Ich spiele mit ihnen vor unserer Höhle Ball. Sie stehen auf der anderen Seite des Erdhügels und wir können über den Hügel den Ball werfen!“

„Das ist eine schöne Idee“, meint Gino Giraffe.

Welche anderen Ideen Emil Erdmännchen noch hat, erfährst du auf Seite 62.

Carla Chamäleon hat sich auf ihren Lieblingsast zurückgezogen, um über eine wichtige Aufgabe nachzudenken. Doch immer wieder krabbelt ein Geschwisterchen zu ihr und fragt etwas. So wird Carla Chamäleon ständig aus ihren Gedanken gerissen und kann keine Idee zu Ende denken.

Das nervt sie total.

Gino Giraffe kommt zu Carla Chamäleon und sagt: „Du siehst ganz aufgebracht aus. Was ist passiert?"

„Ich möchte in Ruhe nachdenken, werde aber dauernd gestört", erklärt Carla Chamäleon.

Gino Giraffe nickt: „Oh, ich verstehe! Du möchtest alleine sein."

„Ja, genau", meint Carla Chamäleon.

„Was kannst du jetzt tun, damit es dir besser geht?“, will Gino Giraffe wissen.

„Die anderen sollen aufhören, mich zu nerven“, antwortet Carla Chamäleon.

„Mhm, und welche Idee hast du noch?“, fragt Gino Giraffe.

Carla Chamäleon überlegt kurz und ruft fröhlich: „Ich mache mit ihnen aus, wann ich alleine sein will und wann sie zu mir kommen können.“

„Das ist eine schöne Idee“, meint Gino Giraffe.

Welche anderen Ideen Carla Chamäleon noch hat, erfährst du auf Seite 64.

Mia Maus ist über einen Ast gestolpert und hat sich die rechte Pfote verstaucht. Vor ihrem Mauseloch hört sie ihre Freunde lachen und rufen: „Lasst uns in den Wald auf Schatzsuche gehen!“

Unglücklich sitzt sie auf ihrem Bett. Gino Giraffe kommt zu Mia Maus und sagt: „Du siehst ganz traurig aus. Was ist passiert?“

„Ich möchte raus zu meinen Freunden und mit auf Schatzsuche gehen, aber ich habe mich verletzt“, erklärt Mia Maus.

Gino Giraffe nickt: „Oh, ich verstehe. Du möchtest ein Abenteuer erleben.“

„Ja, genau“, meint Mia Maus.

„Was kannst du jetzt tun, damit es dir besser geht?“, will Gino Giraffe wissen.

„Ich werde mit den anderen Mäusen draußen spielen!“, antwortet Mia Maus trotzig.

„Mhm, und welche Idee hast du noch“, fragt Gino Giraffe.

Mia Maus überlegt kurz und ruft fröhlich: „Ich schraube mir Rollen auf ein Brett, dann können mich meine Freunde durch den Wald ziehen.“

„Das ist eine schöne Idee“, sagt Gino Giraffe.

Welche anderen Ideen Mia Maus noch hat, erfährst du auf Seite 66.

Balduin Bär ist von seiner Mama losgeschickt worden, um bestimmte Beeren, Pilze und Blüten einzusammeln. Sie hat ihm genau erklärt, wo er sie findet.

Doch Balduin Bär zweifelt, ob er sich alles gemerkt hat. Ratlos steht er mit seinem Korb im Wald.

Gino Giraffe kommt zu Balduin Bär und sagt: „Du siehst ganz verunsichert aus. Was ist passiert?"

„Ich weiß nicht, ob ich alles richtig mache", erklärt Balduin Bär.

Gino Giraffe nickt: „Oh, ich verstehe! Du möchtest ganz sicher sein, dass du deine Aufgabe gut erfüllst."

„Ja, genau", meint Balduin Bär.

„Was kannst du jetzt tun, damit es dir besser geht?“, will Gino Giraffe wissen.

„Ich sage Mama, dass ich es nicht kann“, antwortet Balduin Bär.

„Mhm, und welche Idee hast du noch?“, fragt Gino Giraffe.

Balduin Bär überlegt kurz und ruft fröhlich: „Ich sage mir ‚Balduin, du schaffst das!‘“

„Das ist eine schöne Idee“, meint Gino Giraffe.

Welche anderen Ideen Balduin Bär noch hat, erfährst du auf Seite 68.

Seit Tagen ist es kühl und regnerisch. Pedro Pfau sitzt lustlos in seinem warmen Nest und schaut in den Regen. Er kann sich zu nichts aufraffen.

Gino Giraffe kommt zu Pedro Pfau und sagt: „Du siehst ganz mürrisch aus. Was ist passiert?“

„Das Wetter verdirbt mir die Laune. Nicht einmal meine schöne neue Schwanzfeder möchte ich herzeigen“, erklärt Pedro Pfau.

Gino Giraffe nickt: „Oh, ich verstehe! Du möchtest dich wieder an deiner Schönheit erfreuen können.“

„Ja, genau“, meint Pedro Pfau.

„Was kannst du jetzt tun, damit es dir besser geht?“, will Gino Giraffe wissen.

„Ich warte, bis die Sonne irgendwann wieder rauskommt“, antwortet Pedro Pfau.

„Mhm, und welche Idee hast du noch?“, fragt Gino Giraffe.

Pedro Pfau überlegt kurz und ruft fröhlich: „Ich putze mich nur für mich heraus und sehe mich dann in einer Pfütze an!“

„Das ist eine schöne Idee“, sagt Gino Giraffe.

Welche anderen Ideen Pedro Pfau noch hat, erfährst du auf Seite 70.

Martha Maulwurf hat jede Menge zu tun. Sie möchte ihr Fell putzen, bis es glänzt, und das Durcheinander in ihrer Höhle ordnen. Schon beim Gedanken daran fühlt sie sich überfordert.

Gino Giraffe kommt zu Martha Maulwurf und sagt: „Du siehst ganz gestresst aus. Was ist passiert?"

„Ich möchte heute noch so viele Dinge erledigen und weiß nicht, womit ich zuerst beginnen soll", erklärt Martha Maulwurf.

Gino Giraffe nickt: „Oh, ich verstehe! Du möchtest eine ordentliche Wohnung haben."

„Ja, genau", meint Martha Maulwurf.

„Was kannst du jetzt tun, damit es dir besser geht?“, will Gino Giraffe wissen.

„Ich brauche jemanden, der mir beim Aufräumen hilft“, antwortet Martha Maulwurf.

„Mhm, und welche Idee hast du noch?“, fragt Gino Giraffe.

Martha Maulwurf überlegt kurz und ruft fröhlich: „Ich hebe zuerst alles auf, was am Boden liegt, und lege es dorthin, wo es hingehört. Dann entscheide ich mich für die nächste Aufgabe!“

„Das ist eine schöne Idee“, meint Gino Giraffe.

Welche anderen Ideen Martha Maulwurf noch hat, erfährst du auf Seite 72.

Katrin Katzenkind wird munter, weil es im Katzenkorb plötzlich kühl geworden ist. Denn ihre Mama ist wie jeden Morgen aufgestanden, um Futter zu suchen. Katrin Katzenkind findet es ziemlich ungemütlich ohne sie.

Gino Giraffe kommt zu Katrin Katzenkind und sagt: „Du siehst ganz unzufrieden aus. Was ist passiert?“

„Ich möchte, dass meine Mama bei mir ist und mich wärmt“, erklärt Katrin Katzenkind.

Gino Giraffe nickt: „Oh, ich verstehe! Du möchtest mit deiner Mama kuscheln.“

„Ja, genau“, meint Katrin Katzenkind.

„Was kannst du jetzt tun, damit es dir besser geht?“, will Gino Giraffe wissen.

„Mama soll morgen später aufstehen“, antwortet Katrin Katzenkind.

„Mhm, und welche Idee hast du noch?“, fragt Gino Giraffe.

Katrin Katzenkind überlegt kurz und ruft fröhlich: „Ich kuschle mit meinem Kuscheltier, solange Mama weg ist!“

„Das ist eine schöne Idee“, meint Gino Giraffe.

Welche anderen Ideen Katrin Katzenkind noch hat, erfährst du auf Seite 74.

Es dämmert bereits. Stefanie Schnecke möchte schlafen. Sie hat heute einen sehr langen Spaziergang gemacht. Doch nebenan hämmert und wummert es. Ruhelos wälzt sich Stefanie Schnecke hin und her.

Gino Giraffe kommt zu Stefanie Schnecke und sagt: „Du siehst ganz müde aus. Was ist passiert?“

„Unser Nachbar am Beerenstrauch lärmt und deshalb kann ich nicht einschlafen“, erklärt Stefanie Schnecke.

Gino Giraffe nickt: „Oh, ich verstehe! Du möchtest unbedingt deine Ruhe haben.“

„Ja, genau“, meint Stefanie Schnecke.

„Was kannst du jetzt tun, damit es dir besser geht?“, will Gino Giraffe wissen.

„Ich möchte nichts tun, nur schlafen“, antwortet Stefanie Schnecke.

„Mhm, und welche Idee hast du noch?“, fragt Gino Giraffe.

Stefanie Schnecke überlegt kurz und ruft fröhlich: „Ich tausche mit meiner älteren Schwester für heute Nacht den Schlafplatz, da bin ich weiter weg vom Lärm.“

„Das ist eine schöne Idee“, meint Gino Giraffe.

Welche anderen Ideen Stefanie Schnecke noch hat, erfährst du auf Seite 76.

Erwin Eichhorn ist hungrig und weiß nicht mehr genau, wo er seine Nüsse vergraben hat. Schnuppernd hält er seine Nase in alle Richtungen und sucht verzweifelt den Wald ab.

Gino Giraffe kommt zu Erwin Eichhorn und sagt: „Du siehst ganz verzagt aus. Was ist passiert?“

„Ich finde meine Nüsse nicht mehr. Vielleicht habe ich schon alle aufgegessen?“, erklärt Erwin Eichhorn.

Gino Giraffe nickt: „Oh, ich verstehe! Du möchtest satt sein, statt einen knurrenden Magen zu haben.“

„Ja, genau“, meint Erwin Eichhorn.

„Was kannst du jetzt tun, damit es dir besser geht?“, will Gino Giraffe wissen.

„Ich stibitze mir von meinen Nachbarn ein paar Nüsse“, antwortet Erwin Eichhorn.

„Mhm, und welche Idee hast du noch?“, fragt Gino Giraffe.

Erwin Eichhorn überlegt kurz und ruft fröhlich: „Ich spaziere zum Sonnenblumenfeld und esse Sonnenblumenkerne!“

„Das ist eine schöne Idee“, meint Gino Giraffe.

Welche anderen Ideen Erwin Eichhorn noch hat, erfährst du auf Seite 78.

Flips, Flaps und Flups müssen in ihrem Nest bleiben und für die Vogelschule lernen. Ihre Freunde können sie nur in der Zauberkugel sehen, anstatt mit ihnen herumzufliegen. Die Blaumeisenkinder machen lange Gesichter.

Gino Giraffe kommt zu Flips, Flaps und Flups und sagt: „Ihr seht ganz gelangweilt aus. Was ist passiert?“

„Wir wollen kreuz und quer durch den Blätterwald fliegen, dürfen aber nicht“, erklärt Flips.

„Außerdem müssen wir ganz viele Hausaufgaben machen“, ergänzt Flaps.

Gino Giraffe nickt: „Oh, ich verstehe! Ihr seid verärgert und möchtet lieber spielen.“

„Ja, genau“, meint Flups.

„Was könnt ihr jetzt tun, damit es euch besser geht?“, will Gino Giraffe wissen.

„Wir machen das, was wir wollen“, sagen alle drei zugleich.

„Mhm, und welche Idee habt ihr noch?“, fragt Gino Giraffe.

Flips, Flaps und Flups überlegen kurz, beraten sich und rufen fröhlich: „Zwischen den Aufgaben hüpfen wir auf einem Bein zehn Runden im Nest herum!“

„Das ist eine schöne Idee“, meint Gino Giraffe.

Welche anderen Ideen Flips, Flaps und Flups noch haben, erfährst du auf Seite 80.

Igor Igel ist dem Brombeerduft gefolgt und hat sich mit den saftigen Beeren den Bauch vollgeschlagen. Dann ist er eingeschlafen. Nun wird es langsam hell und er macht sich mit einem komischen Gefühl auf den Heimweg.

Gino Giraffe kommt zu Igor Igel und sagt: „Du siehst ganz ängstlich aus. Was ist passiert?“

„Der Weg ist lang und gefährlich“, erklärt Igor Igel.

Gino Giraffe nickt: „Oh, ich verstehe! Du fühlst dich allein und sehnst dich nach deinem heimeligen Blätterhaufen.“

„Ja, genau“, meint Igor Igel.

„Was kannst du jetzt tun, damit es dir besser geht?“, will Gino Giraffe wissen.

„Ich wünschte, ich könnte mich nach Hause zaubern“, antwortet Igor Igel.

„Mhm, und welche Idee hast du noch?“, fragt Gino Giraffe.

Igor Igel überlegt kurz und ruft fröhlich: „Ich richte mir einen neuen Blätterhaufen zum Schlafen her, in dem ich mich geborgen fühle.“

„Das ist eine schöne Idee“, meint Gino Giraffe.

Welche anderen Ideen Igor Igel noch hat, erfährst du auf Seite 82.

Zita Ziege ist im Stall und muss das frisch eingestreute Stroh zu ihrem Schlaflager richten. Sie hüpft wild von einer Ecke zur anderen und versucht, es platt zu treten. Viel lieber wäre sie längst draußen, um die Sonnenstrahlen einzufangen.

Gino Giraffe kommt zu Zita Ziege und sagt: „Du siehst ganz überdreht aus. Was ist passiert?“

„Diese Arbeit ist mir zu langweilig, ich möchte an die frische Luft“, erklärt Zita Ziege.

Gino Giraffe nickt: „Oh, ich verstehe! Du möchtest dich unbedingt bewegen.“

„Ja, genau“, meint Zita Ziege.

„Was kannst du jetzt tun, damit es dir besser geht?“, will Gino Giraffe wissen.

„Ich sage meiner Mama, die Arbeit ist schon erledigt, dann darf ich raus“, antwortet Zita Ziege.

„Mhm, und welche Idee hast du noch?“, fragt Gino Giraffe.

Zita Ziege überlegt kurz und ruft fröhlich: „Ich mache mein Schlaflager mit voller Energie schnell fertig, dann kann ich länger draußen toben.“

„Das ist eine schöne Idee“, meint Gino Giraffe.

Welche anderen Ideen Zita Ziege noch hat, erfährst du auf Seite 84.

Hansi Hahn pickt im Hof ein paar Körner auf und kräht ab und an. Es sind Sommerferien und er hat gar nichts zu tun. Er fühlt sich ein bisschen planlos.

Gino Giraffe kommt zu Hansi Hahn und sagt: „Du siehst ganz angespannt aus. Was ist passiert?“

„Nur noch der Bauer steht morgens auf, wenn ich am Misthaufen krähe. Alle anderen haben ihren eigenen Rhythmus“, erklärt Hansi Hahn.

Gino Giraffe nickt: „Oh, ich verstehe! Du sehnst dich nach deinem gewohnten Ablauf.“

„Ja genau“, meint Hansi Hahn.

„Was kannst du jetzt tun, damit es dir besser geht?“, will Gino Giraffe wissen.

„Ich spaziere dorthin, wo es keine Ferien gibt“, antwortet Hansi Hahn.

„Mhm, und welche Idee hast du noch?“, fragt Gino Giraffe.

Hansi Hahn überlegt kurz und ruft fröhlich: „Ich überlege mir, was mir wichtig ist, und plane für mich selbst den Tag!“

„Das ist eine schöne Idee“, meint Gino Giraffe.

Welche anderen Ideen Hansi Hahn noch hat, erfährst du auf Seite 86.

1.
2.
3.

Die Sonne lacht vom Himmel. Trotzdem sitzt Kora Kolibri trübsinnig in ihrem Nest.

Gino Giraffe kommt zu Kora Kolibri und sagt: „Du siehst ganz schwunglos aus. Was ist passiert?“

„Ich habe so viele schöne Pläne für den Tag und keine Lust, meine Aufgaben zu erledigen“, erklärt Kora Kolibri.

Gino Giraffe nickt: „Oh, ich verstehe! Du sehnst dich nach einem selbstbestimmten Tag.“

„Ja, genau“, meint Kora Kolibri.

„Was kannst du jetzt tun, damit es dir besser geht?“, will Gino Giraffe wissen.

„Ich überrede Hansi Hahn, dass er meine Aufgaben übernimmt“, antwortet Kora Kolibri.

„Mhm, und welche Idee hast du noch?“, fragt Gino Giraffe.

Kora Kolibri überlegt kurz und ruft fröhlich: „Ich fliege eine große Runde und schaue, was sich Neues in der Nachbarschaft tut. Danach erledige ich meine Aufgaben.“

„Das ist eine schöne Idee“, meint Gino Giraffe.

Welche anderen Ideen Kora Kolibri noch hat, erfährst du auf Seite 88.

Jedes Tier hat einen Konflikt mit sich selbst. Ist dir das auch aufgefallen?

Und weißt du, wieso? Genau! Weil die Situation anders ist, als es sich das Tier vorgestellt hat.

Emil Erdmännchen kann keine Freunde einladen, Carla Chamäleon nicht in Ruhe nachdenken, Balduin Bär fühlt sich unsicher und Igor Igel ist ängstlich.

Kennst du das auch?

Die nächsten Seiten sind nur für dich. Sie bringen dich auf Ideen, was du in verzwickten Situationen tun kannst, damit es dir besser geht.

Lass dich beim Finden von kreativen Lösungen von Gino Giraffe und den anderen Tieren unterstützen. Denn sobald du weißt, wie du dir selbst helfen kannst, ist dein Problem gelöst.

Schreibe oder male deine Ideen auf. Du kannst auch alle Bilder der Mit-Mach-Seiten bunt anmalen.

Hol deine Stifte und leg los!

Emil Erdmännchen hat noch zwei Ideen, wie er es gesellig haben kann. Kreuze jene an, die dir besser gefällt.

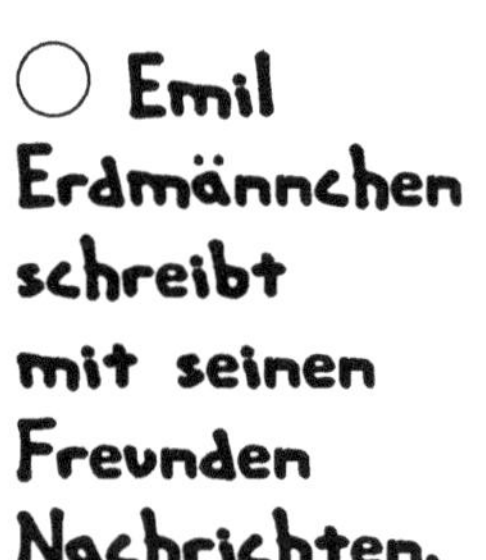

○ Emil Erdmännchen schreibt mit seinen Freunden Nachrichten.

○ Emil Erdmännchen liest seinen Geschwistern eine Geschichte vor.

Hast du noch eine andere Idee? Schreibe/Male sie auf.

Was machst du, wenn du mit anderen zusammen sein möchtest? Schreibe/Male es auf.

Carla Chamäleon hat noch zwei Ideen, wie sie alleine sein kann. Kreuze jene an, die dir besser gefällt.

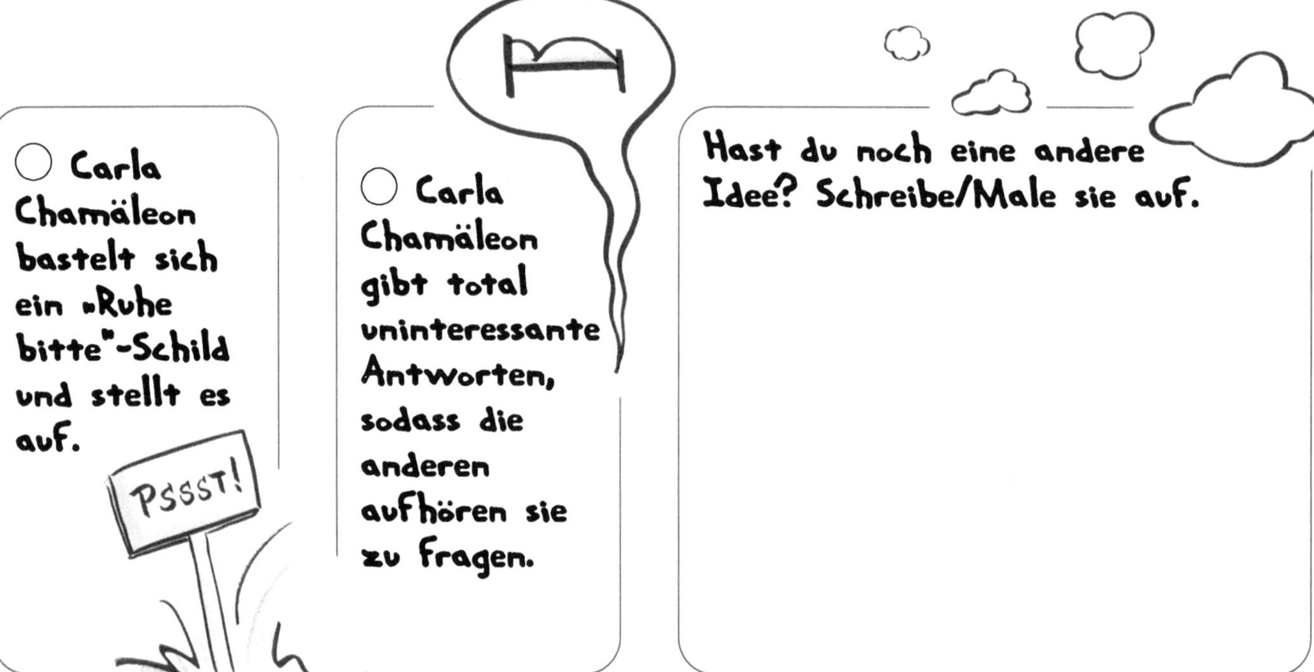

Was machst du, wenn du alleine sein möchtest? Schreibe/Male es auf.

Mia Maus hat noch zwei Ideen, wie sie ein Abenteuer erleben kann. Kreuze jene an, die dir besser gefällt.

○ Mia Maus baut sich in ihrer Höhle ein paar Hindernisse auf und versucht, darüber zu springen.

○ Mia Maus lädt ihre Freunde zu sich ein, um eine Abenteuergeschichte zu erfinden und nachzuspielen.

Hast du noch eine andere Idee? Schreibe/Male sie auf.

Was machst du, wenn du ein Abenteuer erleben möchtest? Schreibe/Male es auf.

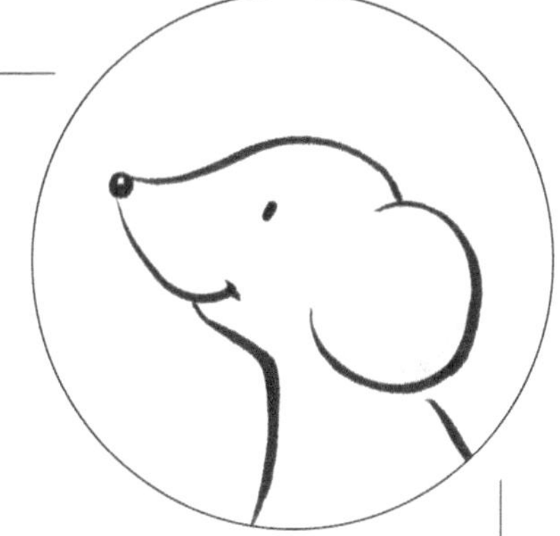

Balduin Bär hat noch zwei Ideen, wie er sich sicherer fühlen kann. Kreuze jene an, die dir besser gefällt.

○ Balduin Bär fragt seinen Bärenfreund, ob er ihn beim Beeren-, Pilze- und Blütensammeln begleitet.

○ Balduin Bär gönnt sich eine Pause, atmet tief ein und sagt sich: „Ich kann das."

Hast du noch eine andere Idee? Schreibe/Male sie auf.

Was machst du, wenn du Sicherheit brauchst? Schreibe/Male es auf.

Pedro Pfau hat noch zwei Ideen, wie er wieder Freude am Schönsein haben kann. Kreuze jene an, die dir besser gefällt.

○ Pedro Pfau zeichnet seine Federn ab und zeigt das Bild seinen Freunden.

○ Pedro Pfau macht sich schön und zeigt sich in voller Pracht seinen Nachbarn.

Hast du noch eine andere Idee? Schreibe/Male sie auf.

Was machst du, wenn du deine Schönheit feiern möchtest? Schreibe/Male es auf.

Martha Maulwurf hat noch zwei Ideen, wie sie für Ordnung sorgen kann. Kreuze jene an, die dir besser gefällt.

○ Martha Maulwurf legt Musik auf und erledigt tanzend eine Aufgabe nach der anderen.

○ Martha Maulwurf beschließt, dass sie heute nur eine Aufgabe macht und die anderen morgen.

Hast du noch eine andere Idee? Schreibe/Male sie auf.

Was machst du, wenn du es ordentlich und sauber haben möchtest? Schreibe/Male es auf.

Katrin Katzenkind hat noch zwei Ideen, wie sie kuscheln kann. Kreuze jene an, die dir besser gefällt.

○ Katrin Katzenkind begleitet ihre Mama, um ihr nahe sein.

○ Katrin Katzenkind kuschelt sich in ihrem Katzenkorb ein.

Hast du noch eine andere Idee? Schreibe/Male sie auf.

Was machst du, wenn du kuscheln möchtest?
Schreibe/Male es auf.

Stefanie Schnecke hat noch zwei Ideen, wie sie zur Ruhe kommen kann. Kreuze jene an, die dir besser gefällt.

○ Stefanie Schnecke stopft sich Kräuter in die Ohren, damit sie in Ruhe nachdenken kann.

○ Stefanie Schnecke bittet ihre Mama, mit dem Nachbarn Ruhezeiten zu vereinbaren.

Hast du noch eine andere Idee? Schreibe/Male sie auf.

Was machst du, wenn du Ruhe brauchst? Schreibe/ Male es auf.

Erwin Eichhorn hat noch zwei Ideen, wie er zu seiner Nahrung kommt. Kreuze jene an, die dir besser gefällt.

○ Erwin Eichhorn bittet seinen Freund um Nüsse.

○ Erwin Eichhorn gönnt sich mehr Ruhepausen, um den großen Hunger ein bisschen hinaus-zuzögern.

Hast du noch eine andere Idee? Schreibe/Male sie auf.

Was machst du, wenn du hungrig bist und gerade nichts zum Essen da ist? Schreibe/Male es auf.

Flips, Flaps und Flups haben noch zwei Ideen, wie sie spielen können. Kreuze jene an, die dir besser gefällt.

○ Flips, Flaps und Flups spielen so lange im Nest, bis sie wieder Lust auf ihre Aufgaben haben.

○ Flips, Flaps und Flups werfen sich einen Ball zu und wer ihn runterfallen fallen lässt, erklärt die nächste Aufgabe.

Hast du noch eine andere Idee? Schreibe/Male sie auf.

**Was machst du, wenn du spielen möchtest?
Schreibe/Male es auf.**

Igor Igel hat noch zwei Ideen, wie er sich geborgen fühlen kann. Kreuze jene an, die dir besser gefällt.

○ Igor Igel nimmt zügig und bedacht die Abkürzung nach Hause.

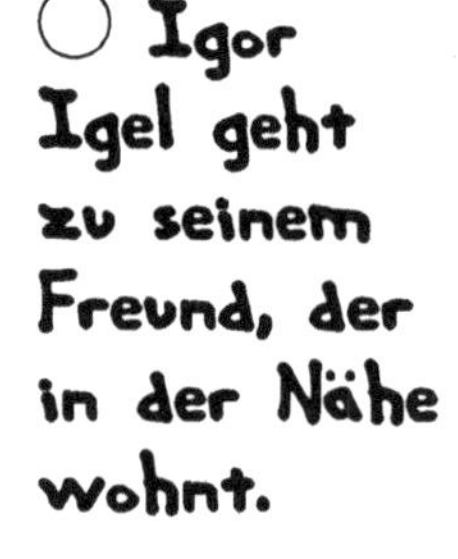

○ Igor Igel geht zu seinem Freund, der in der Nähe wohnt.

Hast du noch eine andere Idee? Schreibe/Male sie auf.

Was machst du, wenn du Geborgenheit brauchst?
Schreibe/Male es auf.

Zita Ziege hat noch zwei Ideen, wie sie sich bewegen kann. Kreuze jene an, die dir besser gefällt.

◯ Zita Ziege erledigt ihre Aufgabe und bewegt sich dabei mal wie ein Schneeleopard und mal wie ein Huhn.

◯ Zita Ziege beschließt, in einem unordentlichen Stroh zu schlafen, und springt den ganzen Nachmittag über die Wiese.

Hast du noch eine andere Idee? Schreibe/Male sie auf.

Was machst du, wenn du Bewegung brauchst?
Schreibe/Male es auf.

Hansi Hahn hat noch zwei Ideen, wie er zu einem geregelten Tagesablauf kommen kann. Kreuze jene an, die dir besser gefällt.

○ Hansi Hahn behält auch im Urlaub seinen alltäglichen Rhythmus bei.

○ Hansi Hahn probiert eine neue Aktivität pro Tag aus.

Hast du noch eine andere Idee? Schreibe/Male sie auf.

Was machst du, wenn du mehr Struktur brauchst?
Schreibe/Male es auf.

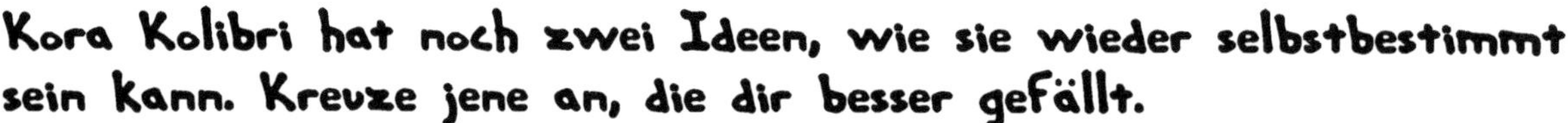

Kora Kolibri hat noch zwei Ideen, wie sie wieder selbstbestimmt sein kann. Kreuze jene an, die dir besser gefällt.

○ Kora Kolibri schließt die Augen und genießt die Sonnenstrahlen.

○ Kora Kolibri trifft ihre Freunde und sie kommen gemeinsam auf neue Ideen.

Hast du noch eine andere Idee? Schreibe/Male sie auf.

Was machst du, wenn du selbstbestimmt deinen Tag gestalten willst? Schreibe/Male es auf.

Die Tiere aus der Geschichte warten nun darauf, dass du sie bunt anmalst, ausschneidest und auf Karton klebst. Sie bringen dich auf Ideen, wie du deine Bedürfnisse einfallsreich umsetzen kannst.

Emil
— ZUSAMMEN SEIN —

CARLA
— ALLEINE SEIN —

Mia
— ABENTEUER —

Balduin
— SICHERHEIT —

Pedro
— SCHÖNHEIT —

MARTHA
— SAUBERKEIT —

Katrin

— KUSCHELN —

Erwin
— ESSEN —

Flips Flaps Flups
— SPIELEN —

Igor
— GEBORGEN SEIN —

ZITA
— BEWEGUNG —

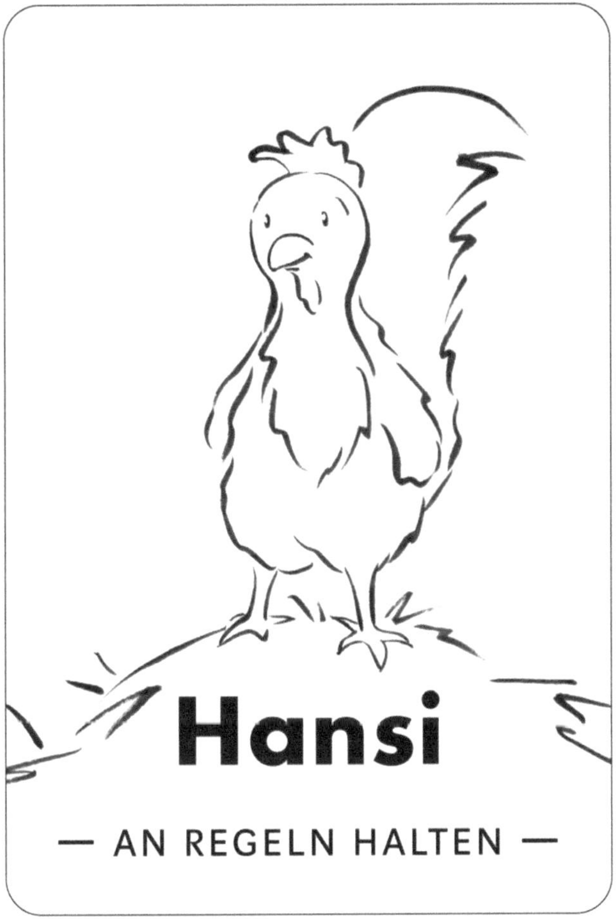
Hansi
— AN REGELN HALTEN —

Kora
— SELBSTBESTIMMUNG —

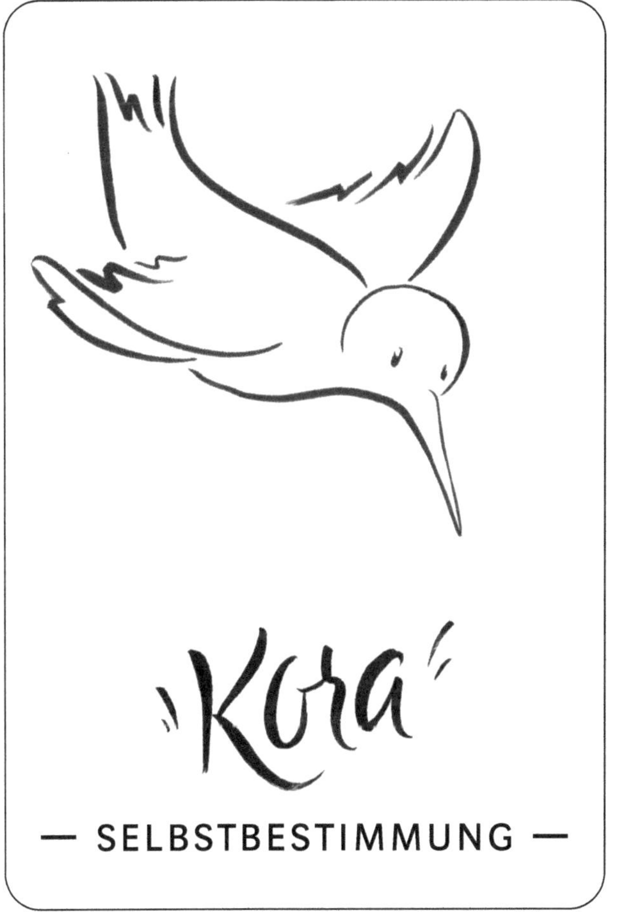

Autorinnen & Illustratorin

Mag. Hanna Grubhofer ist Mutter von sieben Kindern, Psychologin, Trainerin für Gewaltfreie Kommunikation, Mediatorin, Familiencoach und Autorin. Bei der edition riedenburg hat sie bereits die Erwachsenen-Ratgeber „Zauberbuch Familienfrieden" und „Zauberbuch Familienfrieden konkret" veröffentlicht. hannagrubhofer.at

Mag. Sigrun Eder hat 2008 bei der edition riedenburg die Buchreihe „SOWAS!" gegründet. Sie arbeitet am Uniklinikum Salzburg als Klinische Psychologin, Systemische Familientherapeutin sowie Säuglings-, Kinder- und Jugendlichen-Psychotherapeutin des Instituts für Klinische Psychologie der Universitätsklinik für Psychiatrie, Psychotherapie und Psychosomatik der PMU. Tätig ist sie an der UK für Kinder- und Jugendpsychiatrie. sigruneder.com

Barbara Weingartshofer ist Grafikerin und Illustratorin. Sie wurde bereits zwei Mal für ihre Infografiken und Piktogramme ausgezeichnet. An der Gewaltfreien Kommunikation fasziniert sie, welche Möglichkeiten sich eröffnen, wenn man kurz den Blickwinkel wechselt. nau-design.at

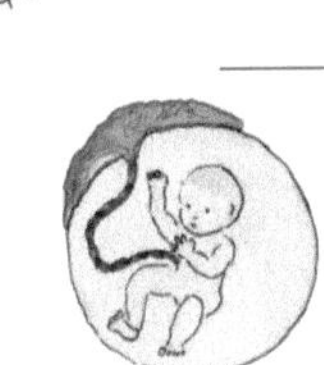

Band 12: „Felix und der Sonnenvogel“

Das Bilder-Erzählbuch für Kinder, die getröstet und beschützt werden wollen

Band 13: „Rosa und das Mut-Mach-Monsterchen“

Das Bilder-Erzählbuch für Kinder, die mutiger sein wollen

Band 14: „Wie war es in Mamas Bauch?“

Das Bilder-Erzählbuch für alle kleinen und großen Leute, die auf Zeitreise gehen wollen

Band 15: „Karim auf der Flucht“

Das Bilder-Erzählbuch für heimische Kinder und ihre neuen Freunde von weit her

Band 16: „Abschied von Mama“

Das Bilder-Erzählbuch zum Trösten und Erinnern für Kinder, die ihre Mama verlieren

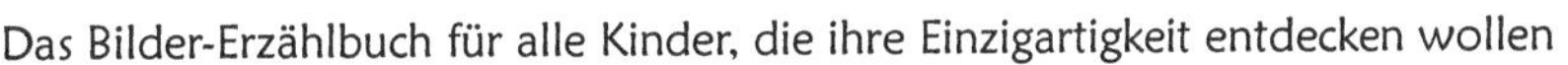

Band 17: „Wilma und die Windpocken“

Das Bilder-Erzählbuch für alle Kinder, die Windpocken haben oder mehr darüber wissen wollen

Band 18: „Ade, geliebte Amelie!“

Das Bilder-Erzählbuch vom Älterwerden und Sterben

Band 19: „Willi Wunder“

Das Bilder-Erzählbuch für alle Kinder, die ihre Einzigartigkeit entdecken wollen

Band 20: „Was brauchst du?“

Mit der Giraffensprache und Gewaltfreier Kommunikation Konflikte kindgerecht lösen

Band 21: „Ilvy schläft gut“

Schlafen lernen mit System

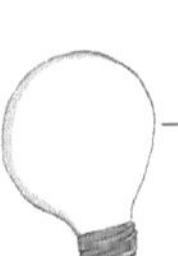

Band 22: „Stark gegen Gewalt“

Selbstbewusst eskalierende Konflikte erkennen und Gewalt kindgerecht stoppen

Viele weitere SOWAS!-Titel findet ihr im Internet unter **SOWAS-Buch.de**

Sigrun Eder
Daniela Klein
Michael Lanker
vollehose.com
SOWAS!
Volle Hose
Einkoten bei Kindern: Prävention und Behandlung
edition riedenburg

SOWAS!
vollehose.com
Sigrun Eder
Daniela Klein
Michael Lanker
Machen wie die Großen
Was Kinder und ihre Eltern über Pipi und Kacke wissen sollen
edition riedenburg

SOWAS!
Sigrun Eder
Elisabeth Marte
Evi Gasser
Herr Kacks und das Pi
So landen großes und kleines Geschäft direkt im Klo!
edition riedenburg

Nasses Bett?
SOWAS!
Sigrun Eder
Elisabeth Marte
Hedda Christians
Hilfe für Kinder, die nachts einnässen
edition riedenburg

Sigrun Eder
Anna Maria Cavini
Jakob Möhring
SOWAS!
Pauline purzelt wieder
Hilfe für übergewichtige Kinder und ihre Eltern
edition riedenburg

Hanna Grubhofer
Sigrun Eder
Hedda Christians
SOWAS!
WAS BRAUCHST DU IM ADVENT?
Der Familien-Adventskalender in Giraffensprache für Gewaltfreie Kommunikation mit Kindern und Eltern
edition riedenburg

SOWAS!
Sigrun Eder
Daniela Molzbichler
Evi Gasser
KONRAD, der Konfliktlöser
SCHULE
Clever streiten und versöhnen
edition riedenburg

SOWAS!
Sigrun Eder
Daniela Molzbichler
Evi Gasser
EXTRA
Clever streiten und versöhnen daheim und unter Freunden
KONRAD, der Konfliktlöser
edition riedenburg

Sigrun Eder
Daniela Molzbichler
Evi Gasser
SOWAS!
EXTRA
Clever streiten und versöhnen in der Schule und woanders
KONRAD, der Konfliktlöser
edition riedenburg

SOWAS!
ZOFF in der Schule
edition riedenburg

SOWAS!
Sigrun Eder
Petra Rebhandl-Schartner
Evi Gasser
Annikas andere Welt
Hilfe für Kinder psychisch kranker Eltern
edition riedenburg

SOWAS!
Sigrun Eder
Anna Maria Cavini
Hedda Christians
JUTTA juckt's nicht mehr
Hilfe bei Neurodermitis – ein Sachbuch für Kinder und Erwachsene
edition riedenburg

Assoz.Prof. Dr. Kerstin Hödlmoser
Mag. Sigrun Eder • Andreas Hirsch
SOWAS!
GENIAL IM SCHLAF
GEHEIMNISSE AUS DEM SCHLAFLABOR FÜR BESTNOTEN UND MEHR POWER AM TAG

SOWAS!
SOWAS-Buch.de

Sigrun Eder
Silvia Ketti
SOWAS!
STOP
Lorenz wehrt sich
Hilfe für Kinder, die sexuelle Gewalt erlebt haben
edition riedenburg

SOWAS!
Sigrun Eder
Hedda Christians
MAMA ZIEHT AUS
Für alle Kinder, deren Eltern sich trennen oder scheiden lassen
edition riedenburg

edition riedenburg
SOWAS!
Rosa und das Mut-Mach-Monsterchen
Das Bilder-Erzählbuch für Kinder, die mutiger sein wollen

Hallo du!
Ich bin Annika und habe ein **Gute-Laune-Buch** für dich gemacht. Damit kannst du das ganze Jahr über gut gelaunt sein und auch deine Gedanken und Gefühle gut ordnen. Viel Spaß!

FÜHL DICH WOHL!

BESTSELLER

WAS BRAUCHST DU?

Mit der Giraffensprache und Gewaltfreier Kommunikation Konflikte kindgerecht lösen

Ein Buch von
Hanna Grubhofer, Sigrun Eder
und Barbara Weingartshofer (Illustrationen)

Emil Erdmännchen möchte mit seiner Familie und seiner Freundin Carla Chamäleon einen Ausflug zum himmlisch duftenden Beerenstrauch machen. Doch Carla Chamäleon hat keine Lust, und Emil Erdmännchen versteht nicht, wieso. Bevor es zum Streit kommt, taucht Gino Giraffe auf. Was für ein Glück! Gino Giraffe erklärt Emil Erdmännchen und Carla Chamäleon ihre Bedürfnisse. Auch Mia Maus, Balduin Bär, Pedro Pfau, Martha Maulwurf und einige andere Tierkinder kommen sich mit dem, was sie brauchen, in die Quere. Gino Giraffe ist immer zur Stelle und zeigt ihnen, was genau für sie im Moment wichtig ist.

Das fröhlich illustrierte Bilder-Erzählbuch „Was brauchst du?" im handlichen A5-Format unterstützt Kinder dabei, Gefühle und Bedürfnisse zu erkennen, um für jeden eine passende Lösung zu finden. Die Gewaltfreie Kommunikation (GFK) hilft dabei, Konflikte zu lösen.

Zahlreiche, auf gut beschreibbarem Papier gedruckte Mit-Mach-Seiten zum Malen, Aufschreiben und Reden im Anschluss an die Geschichte befähigen junge LeserInnen dazu, sich selbst und andere besser zu verstehen. Als Bonus-Material gibt es die Tiere und ihre Bedürfnisse zum Ausmalen und Ausschneiden. Auf Karton geklebt können Kinder so ihre eigenen Bedürfniskärtchen basteln und Lösungen für Konflikte finden.

Im (Internet-)Buchhandel und auf editionriedenburg.at • SOWAS-Buch.de

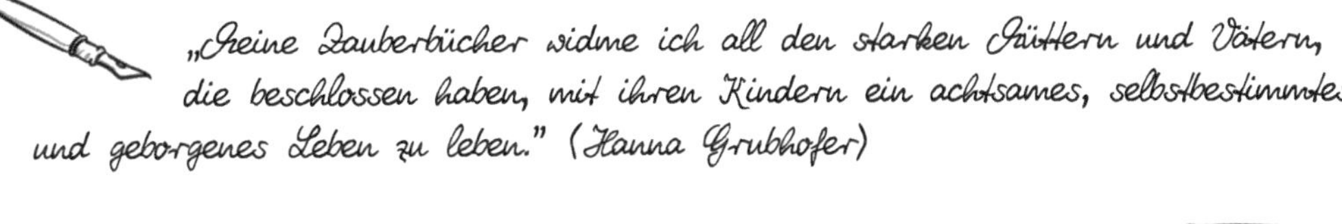
„Meine Zauberbücher widme ich all den starken Müttern und Vätern, die beschlossen haben, mit ihren Kindern ein achtsames, selbstbestimmtes und geborgenes Leben zu leben.“ (Hanna Grubhofer)

Raus aus dem Alltagsstress, rein ins volle Familienleben!

Im **Zauberbuch Familienfrieden** verrät die erfahrene Psychologin und 7-fache Mutter Hanna Grubhofer die zahlreichen Geheimnisse ihres glücklichen Familienlebens. Basis hierfür sind gewaltfreie Kommunikation, Verantwortung und Vertrauen – in sich selbst und in die Kinder. In kurzen, leicht lesbaren Kapiteln geht Hanna auf typische Konfliktsituationen ein. Sie reflektiert ihre Gefühle und gibt praktische Handlungsanleitungen, wie Eltern möglichst stressfrei reagieren können. Zusätzlich bietet das Buch Fragebögen mit Ausfüllmöglichkeit für die eigene Standortbestimmung.

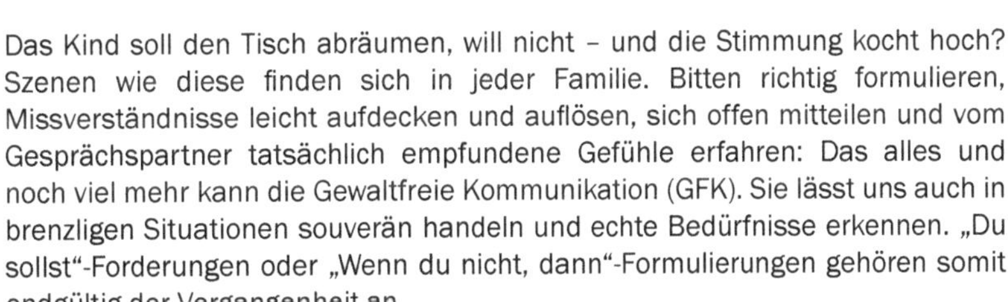
Das Kind soll den Tisch abräumen, will nicht – und die Stimmung kocht hoch? Szenen wie diese finden sich in jeder Familie. Bitten richtig formulieren, Missverständnisse leicht aufdecken und auflösen, sich offen mitteilen und vom Gesprächspartner tatsächlich empfundene Gefühle erfahren: Das alles und noch viel mehr kann die Gewaltfreie Kommunikation (GFK). Sie lässt uns auch in brenzligen Situationen souverän handeln und echte Bedürfnisse erkennen. „Du sollst“-Forderungen oder „Wenn du nicht, dann“-Formulierungen gehören somit endgültig der Vergangenheit an.

Zielgerichtet und mit zahlreichen Beispielen unterlegt, lotst Hanna Grubhofer im **Zauberbuch Familienfrieden *konkret*** durch den Familienalltag. Sie gibt exakte Hilfestellungen zum Familienfrieden, wenn das bisherige Vokabular nicht ausreicht. Einfache und zugleich tiefgründige Übungen für den Alltag erlauben, das theoretische Wissen aktiv ins eigene Leben zu integrieren und dort nachhaltig gewaltfrei zu verankern.

Überall im (Internet-)Buchhandel • **GFK-Buch.de**

Wir freuen uns, wenn du auch deiner Lieblingsbuchhandlung von uns erzählst!

Dein Verlag.
editionriedenburg.at